ISBN : 2-07-051496-X

1er dépot légal : Septembre 1998
Dépot légal : Avril 2002
Numéro d'édition : 12500
Imprimé en Italie par Editoriale Lloyd
Loi n° 49-956 du 16 juillet 1949
sur les publications destinées à la jeunesse

Wolfgang Amadeus

MOZART

DÉCOUVERTE DES MUSICIENS

Illustrations de Charlotte Voake
Texte de Yann Walcker
dit par Benoît Allemane et Gaëlle Savary

Nous sommes en Autriche, à Salzbourg, au pied des montagnes. Dès que le soleil se lève, tous les habitants accordent leur instrument : l'église joue de la cloche, l'artisan du marteau, le commerçant

La mère de Mozart

1 PETITE MUSIQUE DE NUIT, 1er MOUVEMENT, ALLEGRO
PROMENADE EN TRAÎNEAU

sifflote, et on entend là-haut les moutons avec leurs grelots ! Pourtant, au cœur de ce remue-ménage, un bébé dort profondément... Son nom ? Wolfgang Amadeus Mozart !

JEUX

Lorsque tu te promènes, as-tu déjà essayé de nommer tous les bruits que tu entends : bruits d'avions, de voitures, d'animaux ou même de vent ? Le jeu consiste à en trouver plusieurs ! Tu peux y jouer avec tes amis, et le premier qui en a dix a gagné !

Le père de Mozart

Pendant les longues soirées d'hiver, le petit Wolfgang joue près de la cheminée avec son chien Pimperl. Sa sœur, Nannerl, préfère travailler son clavecin ! Un jour, elle lui demande

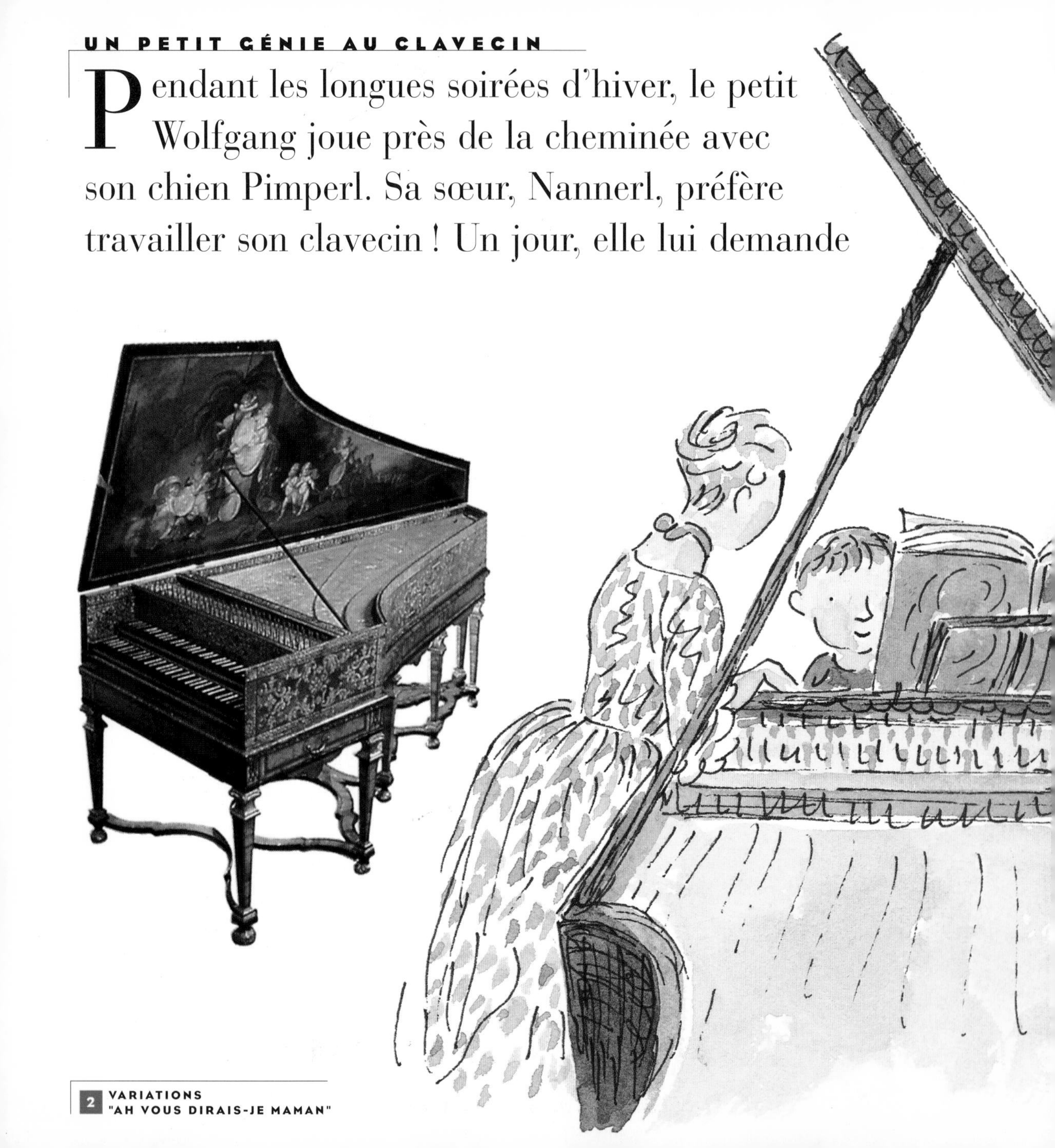

s'il veut essayer lui aussi : sans dire un mot, Wolfgang s'installe devant l'instrument, et surprise ! Non seulement il rejoue sans aucune faute tout ce qu'elle vient de faire, mais en plus, il improvise sur les mélodies ses propres variations !

A TOI DE CHANTER

Demande donc à ta maman de te chanter quelque chose, et puis de s'arrêter tout à coup, en plein milieu ! Essaie alors d'inventer toi-même la suite des paroles et de la musique, tu verras, c'est très amusant !

Wolfgang avec son père et sa sœur.

CÉLÈBRE À SIX ANS

Mozart est assez bon musicien pour jouer devant l'empereur ! Il se rend donc à Vienne, et sonne à la porte du palais ! L'empereur lui demande d'exécuter un morceau sans regarder ni l'instrument, ni ses mains !

3 MENUET EN DO MAJEUR KV 6 N° 1

Et pour plus de sûreté, il recouvre le clavier à l'aide d'un grand tissu. Le petit Mozart joue sans aucune difficulté ! C'est un triomphe ! L'empereur, émerveillé, le salue et lui offre une montre en or !

LES YEUX FERMÉS

Tu possèdes sans doute un petit instrument de musique : un xylophone, un tambour, une flûte, un piano... Crois-tu que tu pourrais, comme Mozart, en jouer les yeux fermés ? Tu peux déjà t'entraîner, car cela épatera sûrement tous tes amis !

Le piano
Le tambour
La flûte
Le xylophone

Mozart a maintenant sept ans ! Son père, fier de lui, veut le présenter au monde entier ! Le jour de Noël, ils arrivent en France, au château de Versailles… Le roi est de fort joyeuse humeur, et Mozart est invité, à condition

INVENTE UNE CHANSON

Beaucoup de musiques sont écrites pour célébrer un événement qui rassemble les gens : un anniversaire, un mariage, une communion… Et si tu inventais une chanson pour la prochaine fête ? Tu l'apprendrais à ta famille, et vous pourriez la chanter tous ensemble !

de jouer à la fin du dîner. Et il joue si bien que chaque note ressemble à un diamant ! Toute l'assistance en tremble d'émotion, et le roi s'exclame : «Bravo ! Vous avez illuminé notre Noël ! Vive Mozart !»

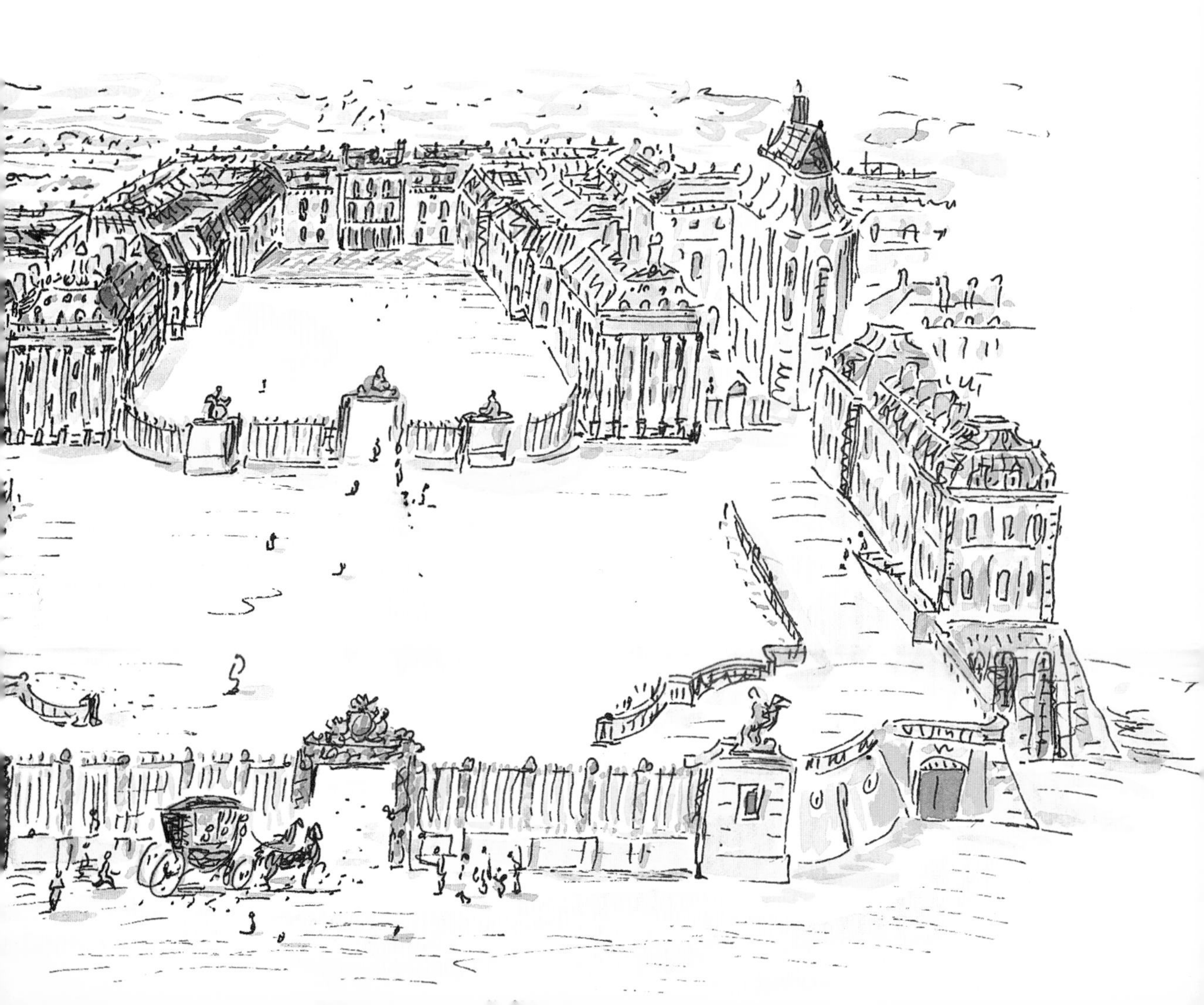

Mozart quitte la France et se rend en Angleterre ! A Londres, il est reçu par la famille royale. La reine Charlotte, qui a une très belle voix,

UN AIR À DEUX VOIX

Mozart accompagne la reine... Et toi, n'as-tu jamais essayé de trouver une deuxième voix dans un air que tu aimes ?

5 LA FLÛTE ENCHANTÉE, DUO «PA-PA-PAPAGENA»

lui demande de l'accompagner au clavecin pendant qu'elle chante. A la fin, la magie de Mozart a encore fait son effet ! La reine est si émue qu'elle lui offre un cadeau qu'il n'oubliera pas de sitôt : un gros baiser !

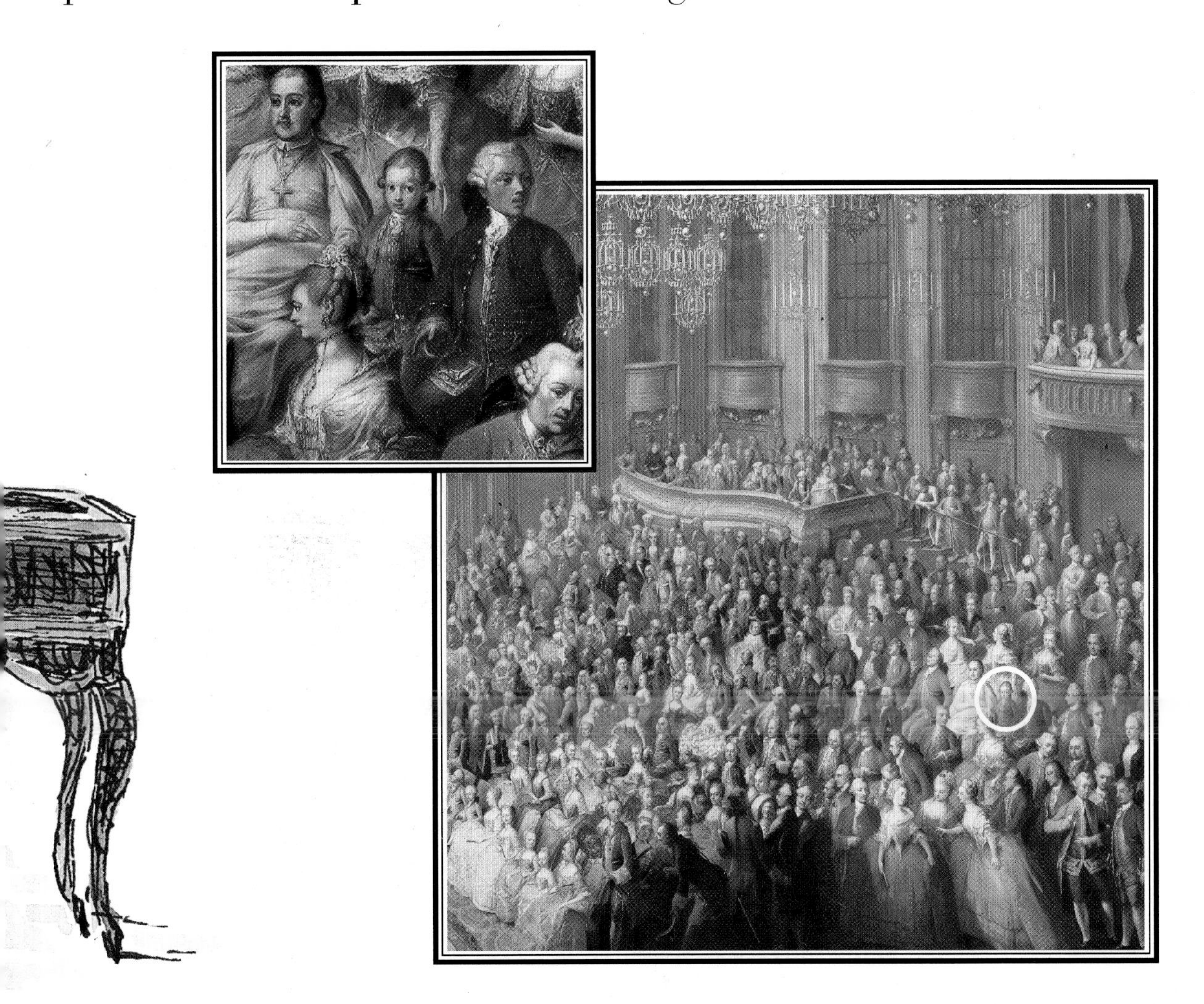

Cette fois-ci, Mozart est de passage en Italie ! Un jour, à Rome, il entre dans la chapelle Sixtine, et entend de la musique religieuse. Quelle douce mélodie, on dirait qu'elle vient du ciel ! Et quel décor ! Mozart est bouleversé,

Une des fresques de la chapelle Sixtine.

IMAGINE

Souvent, la musique est écrite pour être jouée dans un lieu particulier... Par exemple, le piano dans un salon, la fanfare pour le cirque ou les chants dans une église ! Ecoute bien cette musique, et imagine le lieu qui lui convient...

il n'arrête pas d'y penser… «Désormais, c'est décidé !
Moi aussi je veux composer de la musique pour l'église !»

Mozart a dix-sept ans ! Il décide alors de rentrer chez lui, à Salzbourg. Enfin, il va retrouver ses belles montagnes ! De plus, il pourra raconter à travers sa musique tout ce qu'il a vu et entendu pendant ses voyages ! C'est certain, il faudra bien quelques années pour vider son cœur de toutes ces couleurs, de toutes ces émotions, de toutes ces notes accumulées depuis si longtemps, au fil des pays !

AS-TU DÉJÀ VOYAGÉ ?

C'est très enrichissant, car chaque région possède son folklore, ses danses, ses costumes ! Souvent, les musiques sont inspirées par le climat ou la nature de la région : par exemple, les chants tyroliens rappellent l'écho dans la montagne, la musique qui vient d'Italie est gonflée de soleil, de joie, de chaleur ! Essaie de te rappeler une musique typique d'une région, d'un pays où tu as été...

Aujourd'hui

comme hier...

On joue

toujours

la musique de

MOZART

LA MARCHE TURQUE

Mozart a composé de la musique pour de tout petits groupes de musiciens : ce genre de musique s'appelle la «musique de chambre», car on la jouait généralement dans de petites pièces, comme un salon, ou même une chambre ! Si les instruments pouvaient se transformer en personnages, cette musique ressemblerait à une petite conversation entre amis ! Parfois le piano parle tout seul comme dans la «Marche turque», parfois le piano discute avec des violons, des violoncelles... C'est facile : quand ils sont deux, on appelle ça un «duo», quand ils sont trois, c'est un «trio», quatre, un «quatuor» et cinq, un «quintette», comme dans le morceau que tu vas entendre maintenant.

Est-ce un violon, un alto ou un violoncelle ? Les trois instruments ont exactement la même forme. C'est seulement la taille qui diffère.

Le quatuor à cordes est composé de deux violons, d'un alto et d'un violoncelle.

Les entrailles d'un piano sont fascinantes et démesurément grandes par rapport au clavier !

MARCHE TURQUE KV 331, ALLEGRETTO
QUINTETTE POUR COR KV 407, RONDO-ALLEGRO

MOZART

LA SYMPHONIE JUPITER

Mozart a également composé de la musique pour un très grand nombre de musiciens. Parfois plus de 40 ! Ces musiques sont soit des symphonies, soit des concertos ! Dans une symphonie, tous les instruments ont mille choses à dire : les violons, les flûtes, les trompettes, les timbales... Voici par exemple un extrait de la «Symphonie Jupiter» (final). Dans un concerto, il y a un instrument tout seul, le soliste, qui discute avec l'orchestre... Dans la musique que tu vas entendre, le soliste est un piano.

Le chef d'orchestre bat la mesure avec sa baguette et indique la musicalité avec l'autre main.

Certains chefs d'orchestre préfèrent ne pas avoir de baguette et dirigent avec les mains nues.

9 SYMPHONIE N° 41 «JUPITER», 4e MOUVEMENT, MOLTO ALLEGRO
CONCERTO POUR PIANO N° 21, ANDANTE

LA FLÛTE ENCHANTÉE

La vrai passion de Mozart, c'est l'opéra ! Ce qui est merveilleux dans l'opéra, c'est que non seulement on l'écoute, mais en plus, on le regarde : il y a des personnages qui chantent, des costumes et des décors... C'est un peu comme du théâtre en musique ! Mozart nous fait bien sentir, à travers la voix, tous les sentiments humains, l'amour, la colère, la joie, la vengeance... Par exemple, dans «La Flûte enchantée» qui est le tout dernier opéra de Mozart, tu vas entendre la Reine de la Nuit très en colère !

Ce personnage s'appelle Papageno. C'est un oiseleur : il capture des oiseaux. Il porte toujours un costume de plumes.

La voix de la Reine de la Nuit, la plus aiguë de toutes les voix, s'appelle «soprano colorature».

LE REQUIEM

En 1783, la fiancée de Mozart, Constance, tomba très malade ! Aussitôt, Mozart composa une messe pour qu'elle guérisse ! Une messe, en musique, est comme une grande prière chantée, que l'on offre à Dieu et qui se joue dans les églises ! Ecoute un passage de la «Grande Messe» en ut mineur, on croirait entendre la voix d'un ange. Le dernier morceau que tu vas entendre est aussi le dernier morceau que Mozart a composé, avant de mourir, en 1791 : c'est le Requiem, une musique que l'on joue pour les morts !

Un air triste chanté avec expression et recueillement, comme dans une messe ou un requiem, peut être bouleversant pour les gens qui l'écoutent.

Dans une église ou une cathédrale, un grand orchestre a une sonorité impressionnante.

11 GRANDE MESSE EN UT MINEUR, «ET INCARNATUS EST»
REQUIEM, SANCTUS

POUR ERATO DISQUES

Direction artistique :
Ysabelle Van Wersch-Cot
Direction d'acteurs :
Philippe Gondouin
Enregistrement des narrateurs :
Septembre 1997; Studio Lotus Rose, Paris
Mixage :
Didier Jean
Coordination éditoriale :
Nathalie Lequime & Hélène Orzech
Consultant musical :
Alain Cochard

POUR GALLIMARD JEUNESSE

Gallimard Jeunesse Musique :
Paule du Bouchet
Graphisme :
Yann Le Duc
Maquette :
Yann Le Duc
Coordination éditoriale et iconographie :
Émilie de Lanzac
Relations presse :
Claire Babin

TABLE DES ILLUSTRATIONS

6 P. A. Lorenzoni ou S. J. Degle, *Portrait de Anna Maria Mozart*, vers 1770. Musée Mozart, Salzbourg, Autriche. **7** Attribué à P. A. Lorenzoni, *Portrait de Leopold Mozart*. Musée Mozart, Salzbourg, Autriche. **8** Clavecin. **9** Carmontelle, *Mozart enfant avec son père et sa sœur*. Musée Condé, Chantilly. **10** E. Ender (1822-1883), *Le Jeune Mozart présenté à l'impératrice Marie-Thérèse par l'empereur Joseph II en 1762*. **11h** Piano. **11mg** Tambour. **11bg** Xylophone. **11d** Flûte à bec. **12** Ollivier (1712-1784), *Le Thé à l'anglaise au palais du Temple chez le prince de Conti en 1766*. Château de Versailles. **15** Anonyme, *Fête musicale en l'honneur de Marie-Thérèse, de Joseph II, futur empereur, et d'Isabelle de Parme, le 10 octobre 1760*. Schönbrunn, Vienne, Autriche. **16g** Michel-Ange (1475-1564), *La Sibylle de Delphes*, détail de la voûte de la chapelle Sixtine. Vatican. **16d** Canaletto (1697-1768), *La Place Navone à Rome*, v. 1754-1760. Hôpital Tavera, Tolède, Espagne. **18** S. della Rosa, *Portrait de Mozart à 14 ans*. Musée Mozart, Salzbourg. **19** Christian Ludwig Vogel, *Portrait de Mozart*, vers 1789. **20h** Violon. **20m** Quatuor à cordes. **20b** Intérieur d'un piano à queue. **21** *Quatuor à cordes en Autriche*. Musée Mozart, Prague. **22h** J. Simont, croquis de chefs d'orchestre. **22m** Orchestre de Lyon, 1983. **22b** Le chef d'orchestre William Christie. **23** G. P. Pannini, *Représentation théâtrale au théâtre Argentina de Rome, le 15 juillet 1747, en l'honneur du Dauphin de France*. Musée du Louvre, Paris. **24h** K. F. Thiele, *Papageno*, personnage de *La Flûte enchantée*. **24m** Représentation de *La Flûte enchantée*, juillet 1982. Théâtre de l'Archevêché, Aix-en-Provence. **24b** La Reine de la Nuit dans *La Flûte enchantée*, décembre 1989. Opéra de Chambre de Varsovie. **25** École de P. Longhi, *L'Opéra «seria»*. Musée théâtral de la Scala, Milan, Italie. **26h** Thomas Cole (1801-1848), *La Croix solitaire*. Musée d'Orsay, Paris. **26m** La cantatrice Jennifer Larmor. **26b** Chœur et Orchestre National de France. Cathédrale de Saint-Denis. **27** Tombe de Louis Roger de Blécourt Tincourt, chevalier de l'Ordre de Malte. Détail du pavement, cathédrale Saint-Jean-de-Malte, XVIIe s.

CRÉDITS PHOTOGRAPHIQUES

Agostino Pacciani/Enguerand **20m**. Archiv für Kunst und Geschichte, Paris **6, 7, 10, 15, 16d, 18, 19, 24h, 26h**. Brigitte Enguerand **24m**. I. Derouville/Enguerand **22m**. Giraudon **9**. Marc Enguerand **24b**. Ph. Coqueux/Specto **26m, 26b**. Photo Michel Szabo **22b**. Pierre-Marie Valat **11h, 11bg**. Réunion des Musées Nationaux, Paris **12**. Scala **23, 25**. Shimmel **20b**.

DISQUE

1\ Tout commence en 1756
Sérénade n° 13 "Une Petite Musique de Nuit"
1er mouvement - Allegro
Bournemouth Sinfonietta
Direction Theodor Guschlbauer
0630 11078 2
(℗ Erato Classics SNC, Paris, France 1973)

De Léopold Mozart (père de Wolfgang) :
Promenade en traîneau
Les Chevaux s'ébrouent
Orchestre Pro Arte de Munich
Direction Kurt Redel
0630 14789 2
(℗ Erato Classics SNC, Paris, France 1972)

2\ Un petit génie au clavecin
Variations "Ah vous dirais-je Maman"
Béatrice Martin, clavecin
(℗ Erato Disques S.A., Paris, France 1998)

3\ Célèbre à six ans
Menuet en do majeur KV 6 n° 1
Georges Pludermacher, piano
0630 16244 2
(℗ Erato Disques S.A., Paris, France 1996)

4\ Chez le roi de France
Concerto pour flûte et harpe
1er mouvement - Allegro
Lily Laskine, harpe
Jean-Pierre Rampal, flûte
Orchestre de Chambre
Jean-François Paillard
Direction Jean-François Paillard
4509 99651 2
(℗ Erato Classics SNC, Paris, France 1967)

5\ Le baiser de la reine d'Angleterre
La Flûte enchantée
Duo "Pa-pa-papagena"
Papageno : Hakan Hagegard
Papagena : Martina Bovet
Ensemble Orchestral de Paris
Direction Armin Jordan
4509 99654 2
(℗ Erato Classics SNC, Paris, France 1978)

6\ Déjà treize ans
Messe du Couronnement
Sanctus
Chœur Symphonique & Orchestre de la Fondation Gulbenkian de Lisbonne
Direction Theodor Guschlbauer
0630 10505 2
(℗ Erato Classics SNC, Paris, France 1978)

7\ Quand le grand voyage se termine
Don Giovanni
Canzonetta "Deh vieni alla finestra"
Don Giovanni : Ferruccio Furlanetto
Willi Rosenthal, mandoline
Berliner Philharmoniker
Direction Daniel Barenboim
4509 94823 2
(℗ Erato Disques S.A., Paris, France 1992)
Coproduction Erato/RIAS Berlin
RIAS BERLIN

8\ La musique de chambre
Sonate KV 331
Alla turca - Allegretto
Alexei Lubimov, pianoforte
2292 45619 2
(℗ Erato Classics SNC, Paris, France 1991)

Quintette pour cor KV 407
Rondo - Allegro
David Pyatt, cor
Kenneth Sillito, violon
Robert Smissen, Stephen Tees, altos
Stephen Orton, violoncelle
0630 17074 2
(℗ Erato Disques S.A., Paris, France 1997)

9\ La musique symphonique
Symphonie n° 41 "Jupiter"
4e mouvement - Molto allegro
Ensemble Orchestral de Paris
Direction Armin Jordan
0630 12813 2
(℗ Erato Classics SNC, Paris, France 1990)

Concerto pour piano n° 21
Andante
Maria-João Pires, piano
Orchestre de Chambre de la Fondation Gulbenkian de Lisbonne
Direction Theodor Guschlbauer
4509 99653 2
(℗ Erato Classics SNC, Paris, France 1974)

10\ L'opéra
La Flûte enchantée
Air de la Reine de la Nuit
La Reine de la Nuit : Sumi Jo
Ensemble Orchestral de Paris
Direction Armin Jordan
4509 99654 2
(℗ Erato Classics SNC, Paris, France 1978)

11\ La musique sacrée
Messe en ut mineur
Et incarnatus est
Valerie Masterson, soprano
Chœur Symphonique et Orchestre de la Fondation Gulbenkian de Lisbonne
Direction Michel Corboz
0630 14465 2
(℗ Erato Classics SNC, Paris, France 1978)

Requiem - Sanctus
Elly Ameling, soprano
Barbara Scheler, alto
Louis Devos, ténor
Roger Soyer, basse
Chœur et Orchestre Symphonique de la Fondation Gulbenkian de Lisbonne
Direction Michel Corboz
4509 99652 2
(℗ Erato Classics SNC, Paris, France 1976)

LES COLLECTIONS «GALLIMARD JEUNESSE MUSIQUE»

Coco le ouistiti (dès 18 mois)
Coco et le poisson Ploc
Coco et les bulles de savon
Coco et la confiture
Coco lave son linge

Hors série (tout-petits)
Mon Imagier sonore
Mon Imagier des amusettes
Mon Imagier des animaux sauvages

Mes Premières Découvertes de la Musique (3 à 6 ans)
Barnabé et les bruits de la vie
Faustine et les claviers
Fifi et les voix
Léo, Marie et l'orchestre
Loulou et l'électroacoustique
Max et le rock
Momo et les cordes
Petit Singe et les percussions
Tim et Tom et les instruments à vent
Tom'bé et le rap

Découverte des Musiciens (6 à 10 ans)
Jean-Sébastien Bach
Ludwig van Beethoven
Hector Berlioz
Frédéric Chopin
Claude Debussy
Georg Friedrich Hændel
Wolfgang Amadeus Mozart
Henry Purcell
Franz Schubert
Antonio Vivaldi

Musiques d'ailleurs (8 à 12 ans)
Antòn et la musique cubaine
Bama et le blues
Brendan et les musiques celtiques
Djenia et le raï
Jimmy et le reggae
Tchavo et la musique tzigane

Musiques de tous les temps (8 à 12 ans)
La musique au temps des chevaliers
La musique au temps du Roi-Soleil
La musique au temps de la préhistoire

Carnets de Danse (8 à 12 ans)
La danse classique
La danse hip-hop
La danse jazz
La danse moderne

Octavius Musique (pour tous)
L'Amour
Le Chat
Les Mères
Le Rêve

Hors série (pour tous)
L'Alphabet des grands musiciens
L'Alphabet des musiques de films
L'Alphabet du Jazz
Les Berceuses des grands musiciens
Les Berceuses du monde entier
La Bible en musique
Chansons d'enfants du monde entier
Chansons de France
Musiques à faire peur
La Mythologie en musique
Poésies, comptines et chansons pour le soir
Poésies, comptines et chansons pour le jour